시란 것이
그저
쓸 때 좋으면
그만이여

김민들레 시집

<차 례>

제 2부 넘어지다, 흔들리다

제 3부 다시 걷는 일상으로

*작사 김민들레, AI 작곡한 노래가 있는 시입니다.
본문에 QR코드가 있으니 유튜브에서 노래를 들을
수 있습니다. 총 5곡 수록했습니다.

시를 엮으며

내 안의 아름다움을 찾아서 9기 시집 출간의 결실을 맺었습니다. 3개월 동안 매일 시 한 편 필사와 창작 시 한 편을 짓는 일은 즐거운 고통, 의미 있는 고통이었습니다.

3개월 혹은 6개월 동안 지은 시를 엮어서 세상에 내보려고 합니다. 가능했던 이유는 함께 시를 썼기 때문입니다. 함께해주신 조소연 시인, 유영숙 시인, 이순주 시인에게 감사드립니다.

이번 9기는 저에게도 도전의 시간이었습니다. 하산하다가 발목이 부러졌고 수술, 회복을 하느라 2개월 동안 꼼짝없이 침대생활을 해야 했습니다.

덕분에 평소와는 다른 시각의 시가 탄생했고 저의 약한 부분을 찾아냈습니다. 고통스러웠던 시간은 시가 보이지 않았는데도 리더라는 책임

감으로 썼기 때문에 심적인 회복이 빨랐습니다. 일상으로 돌아오는 게 가장 빠른 회복의 방법임을 알기에 쓰면서 시로 위로받았습니다.

<<시란 것이 그저 쓸 때 좋으면 그만이여>> 시집은 1부 발목을 다치기 전 '기적 같은 일상', 2부 다친 후 '넘어지다, 흔들리다', 3부는 다시 걷는 회복 과정을 쓴 '다시 걷는 일상으로' 이렇게 구성했습니다.

특별히 5편의 시를 노랫말로 만들었습니다. 여러 명령어를 넣어서 AI 작곡에 도움을 받아 노랫말로 변신을 했더니 감정이 고스란히 전달되더군요. 유튜브 QR코드를 넣었으니 노래도 같이 감상하시기 바랍니다. 시는 오래전부터 노래였으니까요.

*시를 노래에 맞게 바꾸는 과정에서 가사를 조금 바꿨음을 미리 알려드립니다.

제 1부 기적 같았던 일상

시

시란 것이
그저 쓸 때 좋으면 그만이여

시란 것이
그저 쓰고 읽을 때 좋으면 그만이여

시란 것이
그저 시처럼 살아내면 그만이여

시란 것이
그저 누구 하나 읽어주기만 하면 그만이여

말 없는 소리

새벽 혼자 일어나
조용히 시를 읽는다
책장 넘기는 스윽 소리뿐

아무도 없는 산책로에
러닝화 신고 달린다
내딛는 발걸음 퐁퐁 소리뿐

얼굴에 맺힌 땀방울
물로 씻어낸다
샤워기 쏴아악 소리뿐

바쁜 손놀림으로
아침을 만들어낸다
도마 칼질 착착착 소리뿐

말은 없고 소리로 대화하며
에너지를 만드는 아침 시간

그려 본다

조용한 조명 아래
시집 펼쳐들고 낭독하니
각자의 세상 속으로
글이 스며들어 춤을 춘다
열 개의 마음이 흔들린다
때론 미소로
때론 그리움으로
때론 부러움으로
때론 아린 고통으로

어찌 인연이 되어
이리 앉아 있을까
부산에서, 강원도에서,
서울에서, 광명에서,
광주에서 ...

숭숭 뚫린 마음
시로 여미고 가시게나

화끈거리는 얼굴

낮 기온이 29도라 오전 07시에 러닝 시작
이미 해는 머리 위에서 내려다보고 있다

몇몇은 개인 일정으로 달리다가 빠지고
넷만 한강을 향해서 직진한다

한강은 우리를 반기며 반환점 역할을 하고
나머지 9km도 쉽지 않을 거라 귀띔한다

해를 피하며 요리조리 달려보지만 항상
꼬리물기처럼 잘도 찾아낸다

셋을 놓치지 않으리라 작정했지만
저 멀리서 갸우뚱거리는 실루엣만 보인다

마지막 스퍼트를 위해 힘을 쏟아내고
가쁜 숨을 한꺼번에 몰아낸다

풀코스를 5회나 완주했지만

하프도 되지 않은 거리에 혼쭐나며 화끈거린
다

오늘도 꼴찌다

그래, 산에 가자

나딘 스테어의 '만일 내가 인생을 다시 산다면' 시를 음미한다
더 많이 실수하고, 느긋하고, 유연하고, 여행하고, 산에 가고, 수영하고, 먹고, 춤추고 철없이 산단다

내가 인생을 다시 산다면 무엇을 하고 싶을까

일단,
멋진 부모님 밑에서 사랑을 듬~뿍 받아 그에너지로 삶을 헤쳐나가고 싶다

사랑을 갈구하는 힘이 아닌 사랑을 하고 사랑을 전하는 사람이고 싶다
이 하나면 세상을 잘 살아가지 않을까

자고 있는 아들을 안아주고 초록산을 보러
나간다

대화금

3년 차 볕 드는 베란다에 고이 모셔 두었더니
쑤욱쑥 꽃대를 올리고 화려한 꽃을 피웠구나

다육식물도감을 찾아봐도 온통 낯선 명칭들
이제는 너를 자세히 알 때가 되었다

대화금 大和錦
큰 대, 화합할 화, 비단 금
비단처럼 잎이 잘 어우러졌다는 뜻일까

잎은 예첨두 銳尖頭
날카로울 예, 뾰족할 첨, 머리 두
뾰족한 것도 모자라 더 날카롭다는 뜻일까

화서는 花序 20~30cm
꽃 화 차례 서
꽃대의 길이가 20~30cm라는 뜻이구나

로제트는 근출 根出하고
rosette는 장미 모양, 뿌리 근, 날 출
장미 모양으로 잎이 뿌리부터 난다는 뜻이구
나

꽃은 주적 색인 걸 보니
주황색과 적색이 섞인 분홍이구나

네가 이제서야 나의 꽃이 되었다

미안해, 고마워

초록보다도 어여쁘다는 연두색 나뭇잎 새순
노오란 태양빛과 작당하여 연두색을 만들었
을까

새순을 밀어올리는 작은 화분 흙 속 뿌리의
안간힘
그 힘 때문에 너를 어여삐 여겨 눈길이 간다

수풀을 헤치며 비와 봄볕을 맞으며 자란 여
린 고사리
찾을 수 없도록 숨어있어서 너와 눈길을 맞
춘다

시골 다녀온 남편이 가져온 야들야들한 새순
상추
미안하지만 고기와 함께 입에 쏘오옥 넣고
눈길을 피한다

아, 내가 그 힘들게 자란 여린 새순 만큼 안
간힘을 쓰며 살아보련다

답장

어버이날 카네이션과 편지를 받으니 무척 감동했단다. 가족의 중요성을 sns나 유튜브를 보고 느꼈다니 그 또한 감사한 일이구나.

못 해준 것만 생각난다고 했는데 엄마도 그래. 더 잘 해줄걸, 더 다정하게 말할걸, 더 놀아줄걸, 더 안아줄걸...하고 생각하기도 해.

엄마, 아빠에게 많은 웃음과 사랑과 배움을 줬단다. 비 오는 날 지렁이가 있어서 새들이 좋아하겠다고도 하고 물웅덩이를 첨벙첨벙 밟으며 까르르 웃었던 일도 생각난다. 성장하는 것을 바라보는 자체가 기쁨이고 기적 같은 일이야. 지금 생각해도 어떻게 쑥쑥 자라는지 우주, 생물의 신비야.

넌 존재 자체로도 태어나자마자 감동과 기쁨

부터 줬어. 아무것도 할 줄 모르는 아기인데도 아주 이뻤지. 이것도 인간의 신비야. 돌보기만 하고 힘들고 잠을 못 자면서도 이뻐하니 불가사의한 부모들이지.

엄마와 갈등이 있다고 하지만 성장과정이라고 생각해. 앞으로도 많은 일이 생기겠지만 서로를 위하는 마음이 있고 엄마가 한 발짝 더 이해하려고 노력하마. 지혜로운 아들이니 지금처럼 앞으로도 잘 하리라 믿는다.

농구하고 밤 10시에 밥 차려주는 아빠에게 감사의 글을 써줘서 아빠가 아주 기특해 하더구나. 무뚝뚝하고 대답이 없어서 아빠는 항상 기다리더라. 그 마음도 알고 있다고 편지에 써줘서 아빠가 좋아했어. 야식 챙겨주면서 부자의 정이 생겼어. 감사능력이 살아가면서 아주 중요한 능력인데 넌 그걸 갖고 있어.

우리 가족이 화목하고 좋은 가정이라고 써줘서 고맙다. 좋은 부모일까 항상 고민하는데 좋은 부모라 써줘서 또 고맙다. 너야말로 좋은 아들이란다. 중3처럼 밥도 세 그릇씩 먹고, 운동도 좋아하고, 학교, 학원 잘 다니잖아. 자신의 일을 알아서 하는 것, 그보다 감사한 일이 어디 있겠니?

편지로 너의 깊은 생각과 감사와 사랑을 표현해줘서 고마웠다.

종이 여행

책 속 저자와 함께 세계여행을 떠나네
그녀가 무서우면 나도 무섭고
호기심 어린 눈으로 바라보면
나도 새로움을 얻는다네

택시 기사의 바가지요금에
종이 너머 욕도 바가지로 퍼붓고
친절한 아가씨의 길 안내에
미소 지으며 쓰담쓰담 해준다네

가보지 못했던 피라미드 왕의 무덤에선
그 시대의 영혼불멸하고픈 죽음을 그려보고
바람 같을 나의 죽음도 상상해 본다네

수영도 못하는 그녀가 산소통 하나에 의지해
바닷속에서 물고기를 만날 때 예전 나의 모
습으로

같은 긴장감과 호흡으로 글을 읽으며 다이빙
했다네
10여 년 전에 물에 두려움을 이겨내고 배운
수영으로
물고기에 대한 부러움이 사라졌듯이 그녀도
그러시길

조지아, 아르메니아, 체코, 헝가리, 비엔나,
크로아티아
책 속에 펼쳐지는 지도 따라 같은 호흡으로
걷고, 헤매고, 마시고, 먹고 즐기는 시간 따라
밤이 찾아오네
그녀가 숙소에서 편히 쉬듯 나도 이제 쉬어
야 할 시간

내일은 이베리아반도를 간다니
잠깐 현실로 돌아왔다가 그녀의 타임머신을
타고
과거 여행길에 마저 동행하려 한다네

멍 때리기

삶이라는 순간을 사는 존재
가끔씩 아니 자주
영원을 살 것 같이 늑장을 부린다
어차피 짧으니 즐겨야 한다면서

삶이라는 순간을 사는 존재
매 순간
시간이 아깝다며 분초를 아낀다
어차피 짧으니 의미 있게 살아야 한다면서

삶이라는 순간을 사는 존재
가끔씩
멍 때리며 시간을 보낸다
내 삶은 내가 정의하는 것

여유

해와 지겨운 운동장 트랙을 같이 달리다가
근처 숲속으로 냅다 도망간다

나무는 하늘을 가리고 아카시아꽃은 떨어져
별이 되었지만 향기만은 감출 수가 없다
후다다닥 지나가며 새소리와 향기를 담는다

내리막과 나무뿌리에 간혹 넘어질 뻔해도
눈빛과 마음 빛은 해를 가려도 빛난다

초록이 그리 만드는지
아카시아꽃이 그리 만드는지
달리기가 그리 만드는지
나는 모른다

잠깐의 숲속 달리기 후 나온 세상
한 편의 영화를 보고 나온 극장 앞에서

두리번거리다

다시 해와 지겨운 운동장 트랙을 같이 달린다

그대 그리고 나

풀코스 5회 완주한 아내
첫 풀코스 도전하는 남편

비 오기 전에 뛴다
비 오니까 쉰다

삶을 계란 하나 먹고 뛴다
배고파서 못 뛰겠단다

뛸 시간을 계산해서 먹는다
배불러서 못 뛴다

혼자 또는 마라톤 클럽 가리지 않는다
혼자만 뛴다

아침에 뛰는 루틴을 만든다
시간 날 때만 기다린다

자투리 시간 근력운동을 한다
소파와 한 몸 고정형이다

풀코스 완주 고통을 느낀다
나도 그 고통 느끼고 싶다고 부러워만 한다

하나에서 열까지 모두 다른
그대 그리고 나

향기와 소리

장미향에 이끌려 가던 발길을 돌린다
이렇게 넓은 공원과 산책길이
우리 집 근처에 있다니
게다가 사시사철 정갈하게 관리해주고
꽃을 계절별로 바꿔주니
그들에게 키를 맞춰본다

음악 소리에 이끌려 가던 발길을 멈춘다
이른 아침에 공원에 모여
음악에 맞춰 몸을 흔든다
아침과 저녁에 이렇게 곳곳에서
음악과 춤을 나눠주니
그들에게 몸을 맡겨본다

앞을 보고 뒤를 생각하다

혹성탈출 영화를 보고
어떤 메시지를 주고 싶었는지 헤아려 본다

시 한 편을 읽고
어떤 메시지인지 곱씹어 본다

연극 한 편을 보고
어떤 메시지인지 되새겨 본다

책 한 권을 읽고
어떤 메시지를 주고 싶었는지 살펴본다

노래 한 곡을 듣고
어떤 메시지인지 듣고 또 듣는다

왜 하고 싶은 말을 빙~빙 돌려 할까?

어여쁘다

이리도 어여쁜 꽃잎이 떨어진다
한 달도 채 지나지 않았는데
한 잎 살랑 다시 한 잎 살랑
춤추며 나린다

예전에 어여쁜 꽃잎이 떨어졌다
스무 해도 채 지나지 않았는데
어여쁜 채로
살랑살랑 나린 적이 있다

그 곱고도 고운 분홍빛 살결을
내 마음에 살며시 올려본다

이런 사람

모든 사람이 시인은 아니다

시인은,
자주 시를 쓰는 사람
삶을 노래하듯 음미하는 사람
사람과 세상을 사랑하는 사람

새롭게 들어오는 말

항상 한결같아야 한다고 생각했건만
시간이, 상황이 사람을 다르게 만들더구나

열심히 노력하면 다 된다
다 된다고 생각했건만
되지 않는 일들이 더 많더구나

아이는 하나만
하나도 힘겹다고 생각했건만
셋을 낳아 길러보니 좋은 일도 많더구나

예순 향해 몸과 마음이 늙어간다
하고 싶은 열정이 사라질 줄 알았건만
몸도 마음도 예전보다 더 젊어지는구나

고향에서 살까
시골에서 자라 흙 밟으며 살기 싫었건만

나무도 꽃도 흙도 바다도 그리워지는구나

변신

내일은?
내일 아침에 결정할 일이다

오늘은 러너의 가면을 쓱 쓴다
마음을 여미고
호흡과 리듬에 몸을 맞춘다

어제는 에어로빅 여인의 가면을 스윽 썼다
마음을 풀고
맘껏 흔들어대며 자유를 느꼈다

그제는 산책하는 여인의 가면을 쓰으윽 썼다
마음을 열고
꽃에게도 말을 걸고
나무도 쓰다듬었다

그끄제는 맨발걷기 여인의 가면을 푹 썼다

마음의 경계를 벗고
땅의 호흡과 리듬에 맞춰 걸었다

너도 깨어 있었구나

아무도 없는 새벽에
산책하다 멈추어 물소리를 듣는다

너도 나처럼 매일매일
강으로, 삶으로 흘러가고 있었구나

고요히
천천히
부지런히
가끔은 흘러가는 발자국 소리를
전해주어 고맙다

제 2부 넘어지다, 흔들리다

꽤 괜찮은 확률

하산하다가 넘어졌다
6년 동안 러닝 하며 두 번째
요 정도면 꽤 괜찮게 넘어지는 확률이다

스무 살부터 마흔아홉 살까지
달리지 않아서 한 번도 넘어지지 않았다

얼마나 아프냐고?
아프지 않다
29년 동안 달리지 않고
넘어지지 않는 시간이
더 아팠다

*걸어요, 뛰어요

우리는 길을 향해 걸어요
기뻐서 깃털같이 가볍게 걷기도 하고
슬퍼 주저앉을 때도 있어요
힘에 부치다면 잠시 풍경을 보세요

멈춰서 둘러보면 모두가 아름다워요
아이들도, 어른들도, 나무도, 하늘도
바라볼 시간이 필요해요
다시 걸을 힘이 생길 거예요

우리는 삶을 향해 뛰어요
각자의 희망을 위해 뛰기도 하고
넘어져 상심할 때도 있어요
힘에 부치다면 잠시 풍경을 보세요

멈춰서 둘러보면 모두가 아름다워요
아이들도, 어른들도, 나무도, 하늘도

바라볼 시간이 필요해요
다시 뛰어갈 힘이 생길 거예요

*핸드폰 QR리더 링크로 김민들레 작사, AI 작곡한 노래
들을 수 있습니다. 시를 노랫말에 맞게 바꿨습니다.

되감기

밤은 별의 빼곡한 깜지 연습장
나의 별자리를 찾아 하루를 더듬는다

달라진 풍경

석고마냥 딱딱한 무릎을 펴고
침대 위에 앉는다
오른쪽엔 필사 노트와 시집, 펜
앞쪽에는 읽고 있는 책 열댓 권
왼쪽에는 아령 두 개
벽에는 댕강 부러진 한 발을 대신할 목발 2개
바닥에는 짝 잃은 신발 한 짝

저 밑바닥에는
쿵 떨어져도
다시 튀어오르는
고무공같은 마음

새벽 뜨끈한 된장국 냄새

겨울밤은 춥고도 따뜻하다 안방에는 남자 셋
과 어머니, 네 자매가 반찬 몇 개 없는 둥그란
밥상과 네모난 텔레비전으로 둥그란 배와 네
모진 공간을 채운다 건넌방에 갈 시간, 두꺼운
솜 이불을 위아래로 폭신폭신하게 깐다

누가 먼저 가서 데워놓을 것인가 졸린 사람이
차가운 이불을 따숩게 데워놓어야 하는 미션
이 시작된다 막내라는 이유로 맨 마지막으로
안긴 채 옮겨진다 앗 추워 앗 차가워가 이젠
따뜻하다로 변해도 솜 이불은 제 역할을 하느
라 날밤을 샌다 아침엔 맨 먼저 된장국 냄새
를 맡는다

동상이몽

남편은,
삶이 유한해서 좋아
백 년 애쓰다 가면 충분해
그 이상은 나도 힘들어

아내는,
삶이 유한할까
나에게 그런 마지막 시간이 올까
지금 이렇게 좋은데

짓기 게임

큰언니는 옷을 짓는다
가느다란 은빛 바늘과 은빛 재봉틀로
옷을 짓고 옷을 수선하여
한순간 번듯하게 사람을 짓는다

둘째 언니는 밥을 짓는다
빛나는 은빛 밥그릇과 숟가락, 젓가락
밥을 짓고 반찬을 지어
한 끼니로 사람을 짓는다

셋째 언니는 농사를 짓는다
빛나는 해와 보드라운 흙을 벗 삼아
벼를 짓고 곡식을 짓는다
하나의 씨앗으로 생명을 짓는다

넷째인 나는 시를 짓는다
자음과 모음 생각과 경험으로

낱말을 짓고 행을 짓는다
하나의 글자로 차곡차곡 삶을 짓는다

비상이다! 비상!

쥔님 발목 골절이다!
모두 침대로 모여

왼쪽 팔 닿는 곳에 아령 2개 대기하라
러닝 대신 아령 하려고 할 거다

가운데는 베개 2개 대기하라
왼쪽 다리 높이 올려야 피가 몰리지 않는다

오른쪽 2시 방향 미니 책상 대기하라
노트북, 노트, 필기도구는 필수다

오른쪽 5시 방향 핸드폰, 충전기, 물컵 대기!
흥미로운 소설책, 읽지 않은 새 책 책꽂이에서
다 폴짝 뛰어나와라

며칠 후 더워지니

발끝 선풍기, 벽 에어컨 대기하라

목발 항시 대기

끝!

틈새 행복

병원 가기 전 빈틈을 노려라
목발을 짚고 공원 나무 그늘에서 책 읽는다

발목 수술 전 빈틈을 노려라
병원 내 공원에서 나무와 하늘을 본다

수술 1시간 전 빈틈을 노려라
두려움과 동행하며 시를 쓴다

빈틈을 찾다 보면
이 또한 지나가리라
두려움에게
시간을 허하지 않으리라

나, 떨고 있니?

풀코스 대회 앞둔 담대한 표정과 자세
그러나 미세한 떨림을 느낀다

세 아이를 낳으러 갈 때 기쁜 마음
그러나 고통의 두려움도 안고 간다

처음 맞는 발목 골절 고통이여
수술 전 고통이 사라지고 새로운 고통
이 고통은 또 뭐시 당가

1:1 데이트

남편과 1:1 데이트하는 1123 병실
뾰족뾰족 솟은 수염, 퀭한 눈빛
그 어느 때보다 멋지구려

큰딸과 1:1 데이트하는 날
가장 이쁜 20대 중반 숙녀가 앉아 있다
병실에서도 빛나는구나

둘째 딸과 1:1 데이트하는 날
휠체어 운전 미숙으로 발이 벽에 부딪힌 날
"제가 처음 운전해가지구여 흥흥"

막내아들과 1:1 데이트하는 날
보기만 해도 귀여운 울 막내
"엄마, 너무 귀찮게 심부름 시키시네"

흔들어놓기

평온한 마음을 사각 통에 넣고 흔들어대던 날
세 아이 출산의 고통이 있던 날
풀코스 마라톤 30km 벽을 만난 날
발목 골절 수술 통증으로 밤을 새운 날이다

고통은 부정적 본능을 한껏 끌어올리고
마음을 온통 헤집고 뒤집고 흔들어놓는다

다시 차근차근 제자리 찾아본다
출산의 고통은 아이를 보겠다는 희망으로
풀코스 마라톤은 완주의 희망으로
발목 수술은 다시 러닝 할 희망으로 리셋된다

흔들어댄 후 희망으로 제자리 찾은 날은
예전의 나는 사라지고 새로운 내가 태어난다

가벼운 것, 무거운 것

가벼운 산소와 수소가 만나 무거운 물이 된다

가벼운 당신과 내가 만나 무거운 부모가 된다

가벼운 말과 글이 만나 무거운 책이 된다

가벼운 하루와 나의 공간이 만나 무거운 삶이
된다

가벼운 나와 우주가 만나 무거운 세계가 된다

가볍거나 무겁다는 것은 관념일 뿐이다

매일 태어나다

죽은 듯 눈을 감고 있다가
아침이면 다시 태어난다

몸은 매일 변하고 있지만 그것도 까먹고
아침이 항상 똑같다는 착각으로 깨어난다

매일 맞이하는 아침
누군가에게는 기적 같은 아침
누군가에게는 지루한 아침
누간에게는 소풍 같은 아침
누군가에게는 떨리는 아침
누군가에게는 고통스러운 아침

나는 어떤 아침을 맞이하고 있는가?

휠체어 타고 관악산 소풍간다

위로

아픈 다리를 이끌고 벤치에 누우니
나뭇잎이 살짝살짝 흔들린다
빈 공간이 별을 만들어 반짝반짝거린다

큰 기둥은 바람에도 꼼짝 않으니
꼭대기 잔가지와 기둥에 듬성 삐져나온 가지
옅은 미소로 살랑살랑거린다

반짝이는 별빛에 눈이 부셔 살짝 잠이 들다
수술의 고통과 통증을
나무와 벤치는 아는 듯 나를 잠시 쉬게 한다
빈 공간이 나를 별로 만들기 위해 반짝거린다

질문에 답해보렴

꿈을 위해 꾸준히 하고 있는 일이 뭐니?
가족을 위해 꾸준히 하고 있는 일이 뭐니?
건강을 위해 꾸준히 하고 있는 일이 뭐니?
네 일을 위해 꾸준히 하고 있는 일이 뭐니?
네 잠재력을 위해 꾸준히 하고 있는 뭐니?
네 영혼을 위해 꾸준히 하고 있는 일이 뭐니?
세상을 위해 꾸준히 하고 있는 일이 뭐니?

말, 말, 말

꼼짝 못 하는 날 아침에 니체를 만난다
게을러지는 나에게 쉼 없이 나아가라 한다

나짐 히크메트 시인은
어디로 가야 할지 모를 때가
진정한 여행의 시작이라 한다

와타나베 야스히로 컨설턴트는
자신의 능력을 최대한 발휘하려면
두려움을 맞서라 한다

헨리 데이비드 소로우는
침묵은 소음을 동반한 말보다
더 많은 것을 말한다 하네

오늘은 침묵을 선택한다

네가 다닌 곳, 네가 다닐 곳

왼쪽 다리를 유심히 바라본다. 애쓰던 손만큼이
나 빨빨거리고 다니던 네가 붕대로 묶여있다.
낯선 곳을 조심스레 내딛기도 하고 후다닥 다
니기도 하고 계단을 힘겹게 오르기도 했을 터.
고향을 떠나 먼 이국 땅을 처음 밟을 때 이제
더 이상 소원이 없다고 생각했었다. 매번 다른
길을 가노라고 힘겹기도 설레기도 했다. 조심스
레 만져본다. 첫 마라톤 풀코스를 마치고 왼쪽
무릎이 아파서 3개월 치료할 때 미안했다. 풀코
스가 뭐라고 그리 너를 혹사했을까. 다 낫고 나
서도 계속 뜀박질로 고단했을 다리. 엄지발톱이
빠지는 고통도 그러려니 했다. 러너의 숙명이라
여기면서. 두 번째 발톱이 빠지는 중이다. 더
단단해지는 발톱을 보며 위로를 삼아야 할지,
조심을 해야 할지 모르겠다. 거기다 하산하다가
발목을 뎅강 부러뜨려 놓았으니 뭐라 말을 해
야 할까? 알아서 하세요 하는 말이 들린다. 더
운 여름을 꼬박 반납해야 하는 시간 동안 네가
다녔을 거리와 공간을 되새긴다. 앞으로 다닐
장소도 수천 번 다녀본다. 네가 다닌 곳, 네가

다닐 곳이 나를 만드니 더 단단해진 다리로 다
녀보자.

감동

시각 장애인이 유튜버 인플루언서
시각 장애인이 풀코스 마라토너

보이지 않는 세상을 찍고
보이지 않는 세상을 달린다

보이는 나는 무엇을 하고 있는가

근사한 아침

물 한 잔
체리 여섯 방울
복숭아 한 개
책상 위에 가지런히 놓고
총총히 빠져나간다

고통으로 헤맬 때 손을 잡아주고
아무 말도 하지 못해 쩔쩔매는 너를 본다
온전히 고통을 선택해 아이 낳을 때도
수술로 진통제가 말을 듣지 않을 때도

헤쳐온 날 만큼
헤쳐갈 날 많을지라도
부러진 발목 지지해 주는 보호대처럼
꺾일 때마다, 약해질 때마다
말없이 기댈 수 있는
보이지 않는 등을 내주는 너를 본다

차라리

당신은 전생에 선비였을 거야
왜?
책만 읽고 글만 쓰잖아

당신은 데이터센터 같아
왜?
가만히 앉아있는데 에너지 소모를 많이 해서
수시로 배고프잖아

당신은 고양이 같아
왜?
예민하고 까다로워서

나, 데이터센터 할래

난이도

낫는 상처는 아픔 수준 3단계
낫지 않는 상처는 아픔 수준 8단계
어찌할 줄 모르는 상처는 아픔 수준 9단계

에라, 모르겠다

아름다운 것도 추함도 없다는데
아직도 나는 아름다움을 찾고
추함을 멀리한다

어려운 것도 쉬운 것도 없다는데
아직도 나는 어려움은 헤매고
쉬운 건 재미없어 한다

높고 낮음은 없다는데
아직도 나는 높은 곳에 오르고 싶고
낮은 곳은 멀리한다

있음과 없음은 없다는데
아직도 갖고 싶고 없으면 아쉬운 게 많다

길고 짧음은 없다는데
길어지면 지루하고 짧으면 아쉬워한다

앞과 뒤는 없다는데
아직도 앞을 보면 나아가려 하고
뒤를 보며 성찰한다

에라, 모르겠다
나는 노자가 아니니
노자는 노자 방식 대로
나는 내 방식대로 살다가세

시공간 여행

큰딸은 친구들과 일본 삿포로 여행을
작은딸은 혼자 튀르키예 여행을
나는 깁스하고 혼자 책 속 로마 여행 중이다

세 여인은
과거를 보고 있을까
미래를 보고 있을까
현재를 보고 있을까

*발자국

보고 싶은 마음 감추고 문고리만 쳐다보네
문 앞 서성거리다 발걸음을 돌리네
흐느끼는 어깨 눈물로 떨어지고
지워달라는 그의 부탁 눈물이 흐르네

말하지 않으면 사랑이 아닐까
사랑이 얼마나 커야 말을 참아야 할까
사랑이 얼마나 커야 마음을 참아야 할까

눈으로 지워지는 발자국
소리 없이 내리는 눈
사랑이란 말 한마디 얼마나 어려운지
그의 뒷모습만 바라보며 지울 수 없는 기억

서로를 향한 마음 왜 이렇게 서툴까
가슴 아픈 이별만 남겨두고 떠나버린 그날

문득 문 앞에 서 있던 그의 모습이 떠오르네

말하지 않으면 사랑이 아닐까
사랑이 얼마나 커야 말을 참아야 할까
사랑이 얼마나 커야 마음 아파도 행복할까

눈으로 지워지는 발자국
소리 없이 내리는 눈
사랑이란 말 한마디 얼마나 어려운지
그의 뒷모습만 바라보며 지울 수 없는 아픔

잊을 수 없는 그날의 기억
지워지지 않는 그의 발자국

눈으로 지워지는 발자국
소리 없이 내리는 눈

문밖에서 맴도는 발자국

눈으로 지워지는 발자국

기억에 새겨지는 발자국

*핸드폰 QR리더 링크로 김민들레 작사, AI 작곡한 노래
들을 수 있습니다. 권정생 작가의 슬픈 동화책
<<해룡이>>를 읽고 시를 썼습니다.

*흔들리는 너

쓸모없다고 말하는 너
세상의 비웃음에 흔들리는 너
하지만 잊지 마
온 우주가 너를 소중히 키워왔단 걸

민들레처럼 꽃 피워봐
희망을 노래하는 친구야
별처럼 빛나는
아름다운 너를 위한 노래야

비도 바람도 해도
나도 너의 편이 되어줄게
온 우주가 너를 응원하고 있어
잊지 마 빛나는 너를

민들레처럼 꽃 피워봐
희망을 노래하는 친구야

별처럼 빛나는
아름다운 너를 위한 노래야

멀리서 보는 너는
찬란한 별처럼 빛나고 있어
너는 이미 존재 자체로 아름답단 걸

민들레처럼 꽃 피워봐
희망을 노래하는 친구야
별처럼 빛나는
아름다운 너를 위한 노래야

온 우주가 키우는 친구야
온 우주가 키우는 소중한 친구야

*핸드폰 QR리더 링크로 김민들레 작사, AI 작곡한 노래 들을 수 있습니다. 권정생 작가의 아름다운 동화책 <<강아지똥>>를 읽고 시를 썼습니다.

*마라톤이 시처럼 아름답다고?

마라톤이 아름다울 수 있을까
심장 뛰네, 설레네
달려봐, 달려봐
아름다운 너를 향해

42.195km 도전이야
한 걸음씩 한 걸음식
아름다운 도전, 뛰어봐
10km는 척척, 20km는 가뿐
30km는 벽이라도
40km는 지옥이라도
천천히 뛰어도 멈추지는 마

42.195km 도전이야
한 걸음씩 한 걸음씩
아름다운 도전, 뛰어봐
시간을 앞서지는 마

시간과 함께 달리는 거야
나의 아름다운 러닝 스토리

42.195km, 도전이야
한 걸음씩 한 걸음씩
아름다운 도전, 달려봐

1등도 꼴등도 환영받는 마라톤
한계를 뛰어넘어 나를 뛰어넘어

42.195km 도전이야
한 걸음씩 한 걸음씩
아름다운 도전 달려봐

마라톤, 시처럼 아름답게
나를 뛰어넘을 때마다
난 이미 아름다운 사람

*<<마라톤, 시처럼 아름답게>>
김민들레 시집 주제가

사랑이 뭐길래

어릴 적 부모님 사랑을 갈구하고
다 커서도 아홉 살 마냥
사랑을 달라고 한다

사랑이 뭐길래

결핍된 부모님 사랑은
자신도 모르게 자식에게 물려주며
아이들을 아프게 한다

사랑이 뭐길래

밥보다 중요한 사랑
사랑보다 중요했던 밥

사랑 밥이 고픈 그대여

하얀색 감 씨앗

딱딱한 나무 바구니에 한가득
녹색 땡감과 잎을 톡톡 따다가 깨끗이 씻는다
마당 멍석을 깔고 마주 앉아
절굿공이로 떫은 감을 쿵더쿵 찧고
하얀 씨앗 쏙쏙 빼먹는 맛이 재미나다
달지도 않고 밍밍한 맛이 자꾸 손이 간다
하얀 씨앗 대신 하얀 옷감을 넣고 조물조물
어느새 하얀색이 감빛으로 물이 든다
탈탈 떨어 빨랫줄에 말리면 까슬까슬한
여름 옷을 만드는 어머니는 색의 마술사
꼬마 아이는 그 마술에 눈이 동그래진다

헌집 줄게 새집 다오

조금씩 조금씩 새로 자라니
조금씩 조금씩 옛것을 버리고 살았다
그러나 이제 지붕을 교체할 때가 되었다

왼쪽 발 엄지 지붕으로
사계절과 밤낮을 가리지 않고
물, 산, 아스팔트, 흙길, 국내, 국외 마다 않고
더군다나 러닝 하는 쥔장을 만나
네가 걷고 뛰느라 고생이 많았다.

동아 마라톤 대회에
통증을 호소하는 너를 보고
걸을까 뛸까 포기할까 고민했단다

4개월 동안 새 지붕이 올라올 때까지
잘 버텨주어 고맙다
이제 네게 안녕을 고한다

고마웠다
잘 가
나의 분신아

부끄러워졌다

나 하나 살려고 더 가지려고
바둥바둥 산다
내 아이들을 잘 키우려고 하고
우리 가정을 잘 지키려고 애쓴다

자신보다 남을 위하고
남의 아이들을 키우고
북한을 걱정하며
지구를 걱정하며 행동하는 사람들

오늘 난 부끄러워졌다

걱정은 변하는 거야

걱정이 없어진다며
아들이 무심하게 건네는 걱정인형
엄지손톱만 한 동그란 나무 얼굴에
선 하나로 옅은 미소 짓는 너

팔 다리는 길고 두꺼운 한 가닥 실
내 맘대로 요리조리 움직여본다

기분 좋을 때 팔다리는 하늘을 향하고
우울할 때 팔다리는 땅을 향한다

필통 속에도 편안히 기댈 수 있도록 앉혀보고
노트북에도 등을 기대게 앉힌다
바닥에도 편히 드러눕힌다
마치 걱정이 사방을 돌아다니는 것 같다

내가 하는 대로 움직이는 걱정인형

내가 하는 대로 걱정도 움직이는 게 아닐까

아들아, 네 걱정은 뭐니?

비밀이야!

걱정되네

산 너머 산

엎드려 자는 게 소원인 적이 있었다
오른쪽으로도 왼쪽으로도 힘들어서
밤새 뒤척이다 겨우 낮에 낮잠을 자기도 한다

어서 낳기만 해라 이보다 힘든 일은 없어
어쩔 시구 낳는 건 밤에 뒤척이는 것 그 이상

겪어보지 못하는 일 투성이가 시작되다
밤에 화장실 가는 게 싫어서 물도 삼간다
2시간마다 일어나 우유를 주고 기저귀 갈기
아이가 아니라 나의 통잠이 절실하다

젖몸살은 또 뭐여
산 너머 산, 강 건너니 또 강이다
끙끙 앓는 몸살과 달리 악 소리 나는 젖몸살

아이 셋을 나을 때마다 달라진 게 없다

하나도 줄어든 고통 없이 아프다
매번 낯선 고통에 나를 내려놓기가
가장 큰 문제다

초등학교 입학하기 전에는
어떻게 잘 보살필 수 있을까 하는 생각에
어떻게 잘 살아낼까 하는 고민의 고민을 한다

중학교 입학하기 전에는
아이들의 주장, 투덜거림과 짜증에
다시 사춘기에 대한 공부를 시작한다

딸들이 대학을 간 이후 한숨 돌린 시기에
막내아들과 또 다른 사춘기 세상을 만난다
아들은 나를 성장시킬 또 다른 벽이다

나보다 키가 큰 세 아이 걷는 뒷모습 보며
상념에 젖는다

시인의 방

시인의 방에선
시가 드나들며
시인이 드나들며
詩作이 드나든다

정현종, 안도현, 김승희, 나태주, 이성복, 정호
승, 괴테, 천상병, 이문재, 윌리엄헨리데이비
드, 나딘스테어 시인이 시를 들고 형체 없이
방문한다

그들의 먼지 같은 큰 영감으로
새싹 같은 시가 태어난다
수줍고 작고 반갑고 어색한 여린 시가 되어
얼음장 같은 두꺼운 마음의 흙을 뚫고
시인의 방으로 아장아장 들어온다

제 3부 다시 걷는 일상으로

흔적 없애기

넘어져 생긴 상처 흉터가 보기 싫어
흔적 없애는 연고를 바른다

흉터는 넘어진 날을 상기시키듯
가뭇가뭇 기어이 흔적을 남기고 만다

살아온 날의 아픈 상처는 흉터까지 없애려
좋은 기억으로 덮고 연고를 발라도
보이지도 않는데 불쑥불쑥 기어올라온다

그래
애쓴 상처 흔적
기꺼이 봐주련다
이런 날도 있었지 하고
성장과 영광의 상처가 되도록

비의 배신

비는 언제나 옳았다
봄비도 여름비도 가을비도 겨울비도

창밖 내리는 비는 이유 없어 좋고
싹이 나는 논과 밭의 비도 좋아라

갑자기 내리는 소나기도 좋고
러닝 하다 쫄딱 맞는 비도 좋아라

휴가철 계곡에서 물과 맞는 비도 좋고
가족이 갑자기 뛰어가게 하는 비도 좋아라

그러나
깁스한 상태에서 맞는 비는
비의 배신 같아서 싫어라
두 달 만의 외출인데
왜 하필 오늘...

매일 글을 쓴다는 것

나의 머릿속 세상을 글로 풀어내는 일은
오랫동안 품었던 생각을
온몸의 피로 몇 바퀴 돌고 돌아
세상을 향해 엮어내는 일

하루라도 멈추면
삐걱거리는 기계처럼
다시 돌리기가 더 어려워지는 일

기약 없는 편지의 답장을 기다리듯
독자 몇 없는 글일지라도
매일 해내는 고귀한 일

해맑은 미소

까르르르 웃는다
티 없이 맑은 웃음은
고통스러운 삶 속에서도
네 안에 가릴 수 없는
순수함이 있기 때문이다

핑그르르 운다
주저 없이 우는 모습은
고통스러운 삶을 통해 배운
네 안에 가릴 수 없는
사랑이 있기 때문이다

장조림

냄비에 계란 30개를 넣고 삶는 동안
양지머리 핏물을 빼고
간장, 설탕을 넣고 푸우욱 끓인다

찬물에 식힌 계란 하나하나 껍질을 까고
고기 끓이는 냄비에 넣는다
쫄깃한 버섯, 매콤한 청량 고추, 알싸한 마늘을
투하한다

평범한 장조림이 오늘 이토록 귀한 이유는
2개월 만에 절뚝거리며 요리했기 때문이다

귀찮았던 요리가 귀한 요리가 된 날이다
두 끼 만에 품절되었다

내 맘대로

세상은 내가 원하는 대로 될지니
꾸준히 노력하기만 하면 된다

세상은 내 맘대로 되지 않을지니
그러려니 해라

원래 세상은 그런 것이다

요즘 행복한 일

발목 보호대를 하고 땅을 딛는다
붓기가 사라졌다
서서 설거지를 할 수 있다
화장실을 혼자 갈 수 있다
밤에 엎드려 잘 수 있다
기지개를 펼 수 있다
발을 씻을 수 있다
문 앞 신문을 집어올 수 있다
목발 없이 두 걸음을 걸을 수 있다
휠체어가 필요 없어졌다
발목 통증이 사라졌다

당연한 걸 감사하라는
발목 골절 수술
잊지 않도록
짙은 두 줄 흔적을 남기다
땡큐~

*나답게

어느 날 멋진 일을 하나 해냈어
모두들 기뻐하고 기대도 많아졌지

나만의 스타일로 소리쳐
나만의 속도로 노래해
나만의 빛으로 밝게 빛나게

그날 이후 난 더 바빠졌어
친구들 기대에 실망 주고 싶지 않았어

나답게 살고 싶어 나답게 살고 싶어
그러나 다시 너희들 기대에 맞추네

잠 못 자는 날들이 이어졌어
이번에도 실망 주고 싶지 않았어

다행히 이번에는 실패했어
친구들 실망이 얼마나 기뻤는지 몰라

오늘부터 나는 두 다리 뻗고 잘 거야
친구들에게 기대지 않아

이제 슈퍼맨이 되지 않을 거야
나는 나야 나다운 게 좋아

나만의 스타일로 소리쳐
나만의 속도로 노래해
나만의 빛으로 밝게 빛나게

*핸드폰 QR리더 링크로 김민들레 작사, AI 작곡한 노래 들을 수 있습니다. 유설화 작가의 아름다운 동화책 <<슈퍼 거북>>를 읽고 시를 썼습니다.

나의 가족 묘비명

나는 내 삶을 사랑했다
당신과 너희들이 그 안에 있었다

독자의 말

김민들레 시인은 일상의 순간들을 예리하게 포착하는 그녀의 시적 감각을 여실히 보여준다. 이 시집은 삶의 다양한 면모를 섬세하게 그려내며, 시인의 다채로운 경험과 치열한 삶의 태도를 반영한다.

시인은 <비의 배신>에서 일상적인 현상인 '비'를 통해 삶의 여러 순간들을 표현한다. 봄, 여름, 가을, 겨울의 비, 논과 밭의 비, 소나기, 러닝 중 맞는 비 등 다양한 상황에서의 비를 긍정적으로 묘사한다. 이는 시인의 삶에 대한 열정과 긍정적 태도를 상징적으로 나타낸다.

그러나 마지막 연에서 '깁스한 상태에서 맞는 비'를 '비의 배신'이라고 표현함으로써, 예상치 못한 상황에 대한 인간의 좌절감을 섬세하게 포착한다. 이는 시인의 예리한 관찰력과 함께, 삶의 모든 순간이 항상 기쁘지만은 않다는 현

실적 인식을 보여준다.

이 시집은 단순한 감상에 그치지 않고, 일상의
순간들을 세밀하게 관찰하고 그 의미를 탐구한
다. 시인은 자신의 경험을 통해 삶의 복잡성과
아름다움을 동시에 포착하며, 독자들에게 일상
을 새로운 시각으로 바라볼 수 있는 기회를 제
공한다.

김민들레 시인의 작품은 우리에게 삶의 모든
순간에 의미가 있음을 일깨워 준다. 그녀의 시
는 일상의 소소한 순간들도 깊이 있는 통찰의
대상이 될 수 있음을 보여주며, 독자들에게 자
신의 삶을 더욱 풍요롭게 바라볼 수 있는 새로
운 관점을 제시한다.

- 시집 <<홍대 입구 8번 출구>> 작가 이순주 -

김민들레 시인의 시에서는 생을 마주하는 자세가 진실하고 성실하며 계속 전진하려는 의지를 독자에게 전달하고자 한다. 그녀에게는 일상에서 부딪히는 크고 작은 고통은 극복해 내야 하는 인간이 가지고 있는 의무처럼 여겨지는 듯하다. 그리고 이겨낸 과정을 독자에게 전달해서 함께 헤쳐 나가자고 제안하는 듯하다.

<시>에서 '시란 것이 그저 쓸 때 좋으면 그만이여, 그저 쓰고 읽을 때 좋으면 그만이여' 시를 대하는 그녀의 자세가 느껴진다. 그냥 툭 내던지듯이 쓴 듯하지만 실은 무수하게 고민한 흔적이 역력하다.

<요즘 행복한 일>에서 '서서 설거지를 할 수 있다, 화장실을 갈 수 있다. 밤에 엎드려 잘 수 있다. 문 앞에 신문을 집어 올릴 수 있다' 라고 말함으로써 우리가 얼마나 당연한 것이 결코 당연한 것이 아니고 감사할 일인지를 말한다.

'당연한 걸 감사하라는 발목 골절 수술', 삶의 목표를 정해놓고 그 길로 정진하는 과정에서

발목 부상을 당한 것이 보인다. 발목 부상을 당하고 골절 수술이 얼마나 힘들고 괴로웠을지를 가늠케 해준다. 그리고 사소한 일상에 감사하라고 독자에게 말하고 싶어 한다.

<해맑은 미소>에서 '티 없이 맑은 웃음은 고통스러운 삶 속에서도 네 안에 가릴 수 없는 순수함이 있기 때문이다' 김민들레 시인이 추구하는 행복인 것 같다.

김민들레 시인은 일상의 순간들을 예리하게 포착하는 그녀의 시적 감각을 여실히 보여준다. 이 시집은 삶의 다양한 면모를 섬세하게 그려내며, 시인의 다채로운 경험과 치열한 삶의 태도를 반영한다.

- 시집 <<바람은 늘 돌아오지 않는다>>,
  <<기억 헛간>> 작가 유영숙

시란 것이 그저 쓸 때 좋으면 그만이여

발 행 | 2024년 8월 25일

저 자 | 김민들레

펴낸이 | 한건희

펴낸곳 | 주식회사 부크크

출판사등록 | 2014.07.15.(제2014-16호)

주 소 | 서울특별시 금천구 가산디지털1로 119 SK트윈타워 A동 305호

전 화 | 1670-8316

이메일 | info@bookk.co.kr

ISBN | 979-11-419-0008-3